© 2015 Éditions Nathan, Sejer,
25, avenue Pierre-de-Coubertin, 75013 Paris
ISBN : 978-2-09-255770-9
Loi n°49-956 du 16 juillet 1949
sur les publications destinées à la jeunesse,
modifiée par la loi n°2011-525 du 17 mai 2011.

N° d'éditeur : 10243882 - Dépôt légal : mars 2015.
Achevé d'imprimer en février 2018 par Pollina - 84108
(85400 Luçon, Vendée, France)

ÈVE HERRMANN

On range !

ILLUSTRÉ PAR ROBERTA ROCCHI

Nathan

Liv et Emy ont joué
toute la journée.

Maintenant il faut ranger !

Emy range vite.
– Voilà c'est parfait, plus rien
ne traîne par terre !

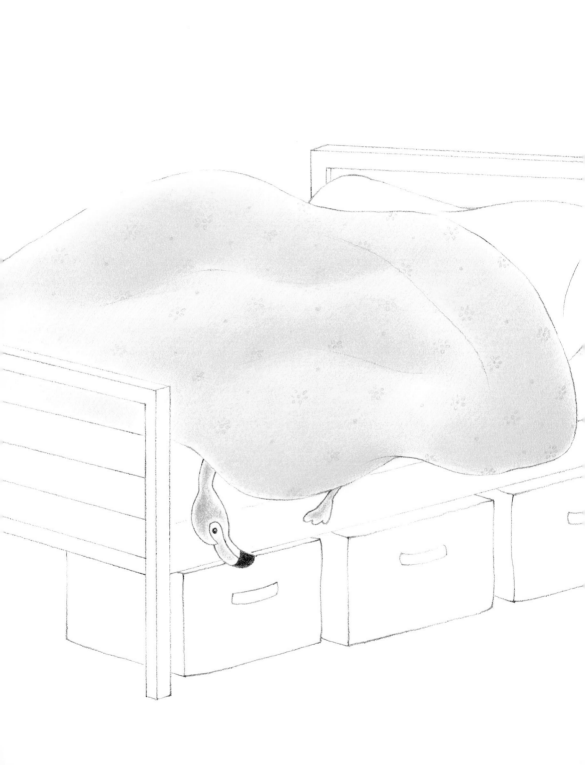

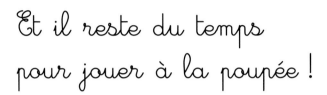

Et il reste du temps
pour jouer à la poupée !

– Mais ?! Où est la deuxième chaussure de Rosalie ?

Liv aide Emy à la chercher.

Mais maintenant, il faut
de nouveau tout ranger !

– Regarde, dit Liv. On va mettre toutes les chaussures des poupées dans cette boîte. Comme ça, on les retrouvera très vite.

Et puis on va mettre les peluches
dans le panier, les Kapla dans
leur boîte.

Emy aussi se met
à tout ranger.

– Mais qu'est-ce que tu fais,
Emy ? Tu mélanges tout !

– Pas du tout ! répond Emy.
J'ai mis dans cette boîte toutes
les choses roses, et dans celle-ci,
toutes les choses douces.

– Et ton gros flamant rose ?
demande Liv. Je sais : dans
le panier des peluches !

– Et puis, on pourrait faire
une boîte à trésors pour toutes
nos petites choses préférées,
les roses, les douces, les fragiles,
les dures et les molles,
toutes mélangées d'accord ?

Emy est d'accord.
Les deux fillettes sont contentes :
finalement, c'est amusant de ranger !

La chasse aux couleurs

Émy a mis dans une boîte tous les objets roses qu'elle a trouvés dans sa chambre. Tu peux faire comme elle en organisant une « chasse aux couleurs ».

Choisis une couleur, le rouge par exemple, et cherche dans ta maison différents objets rouges.

Dispose-les sur une table
ou sur un tapis pour composer
un joli tableau !

Un autre jour, tu peux recommencer
avec une autre couleur.